S0-ALG-060

托马斯和朋友动画故事乐园 第二辑

培西和多多岛精神

根据动画片《托马斯和朋友》改编

童趣出版有限公司编 人民邮电出版社出版
北京

　　多多岛是一个非常特别的小岛，岛上有高山和深谷，有碧绿的田野和幽静的森林。所有的小火车都热爱多多岛。

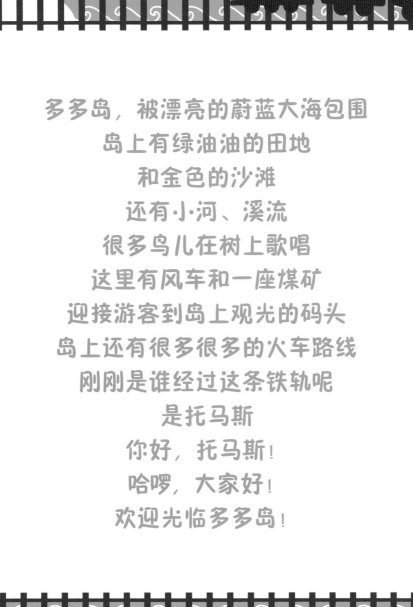

多多岛，被漂亮的蔚蓝大海包围
岛上有绿油油的田地
和金色的沙滩
还有小河、溪流
很多鸟儿在树上歌唱
这里有风车和一座煤矿
迎接游客到岛上观光的码头
岛上还有很多很多的火车路线
刚刚是谁经过这条铁轨呢
是托马斯
你好，托马斯！
哈啰，大家好！
欢迎光临多多岛！

胖总管

本名：托芬·哈特先生，大家都爱叫他"胖总管"

特征：多多岛的铁路指挥，宽轨火车都归他管

最骄傲的事：因为工作努力、成就卓越，被女王封为爵士

托马斯

编号：1

车型：水箱蒸汽机车

特征：个子小小，爱玩，爱笑，爱工作，最大的梦想是有一条自己的铁轨

最不喜欢的事：拉鱼车，太臭了

詹姆士

编号：5

车型：客货两用蒸汽机车

特征：多多岛最帅的火车（自封的）

最喜欢做的事：拉贵客，这会让他特别兴奋

培西

编号：6

车型：蒸汽机车

特征：对现状很满足，对冒险没有一点儿兴趣

最常做的事：洗澡，因为他老在采石场和煤场工作

　　一天，胖总管来到提茅斯机房，他带来了一个很棒的消息："市长邀请一位有名的画家来多多岛，他要画一幅名叫'多多岛精神'的画，还要在纳普福特火车站展览呢！"

　　所有的小火车都非常兴奋。胖总管对培西说："培西，你去码头接画家，然后带他去看岛上最美的地方。"

　　可是培西很担心，他小声问道："什么是多多岛精神？"

　　托马斯说："就是多多岛最棒最特别的地方呀！没有人比你更了解、更热爱这个小岛了，不是吗？你正是适合这个工作的小火车！"听了托马斯的话，培西感觉好多了，是的，他一定能找到最有多多岛精神的地方。

　　培西冒着蒸汽开到布兰达汉码头。码头上挤满了人，大家都想看看这位有名的画家。

　　哇，他看起来很重要哦！穿着长长的罩衫（为了不弄脏自己的衣服），戴着大黑帽，他还有很多画架、画纸、颜料和笔袋呢。

有名的画家对培西说："带我去最特别的地方，我想看看多多岛精神。"

培西快乐地说："好的，先生！"

于是，有名的画家爬进了培西的驾驶室，小火车很快就离开了码头。为了寻找最特别的地方，培西穿越了整座小岛，一边跑一边喊："特别的地方！特别的地方！"

　　培西首先开进了宁静的深谷，那里真是太美了！培西高兴地说："到了，先生，多多岛精神！"

　　有名的画家站在那里看了很久，然后说："太绿了！我要你带我去看特别的地方。"

　　培西惊讶极了，他觉得深谷非常非常特别。可是既然有名的画家那么说，或许它并没有那么特别吧。

　　于是，培西又出发了！

　　不久，培西开到了诺兰比海滩。金色的阳光照耀着金色的沙滩，孩子们在玩耍，还有小驴子让人骑。

　　培西想："画家一定喜欢画这个。"

　　可是，有名的画家看着海滩，叹了口气说："沙子太黄了！我要你带我去看特别的地方。"

　　这让培西沮丧极了，他真想告诉画家："这里是岛上最欢乐、最特别的地方啊。"可是培西只说了一句"好的，先生"，又难过地出发了。

培西带有名的画家去看高架桥，但是画家说："嗯，太高了！"

　　培西又带画家去看风车房，画家说："嗯……太圆了。"最后，培西带着有名的画家，开往纳普福特火车站。

　　纳普福特火车站里非常热闹，小火车们拉着车厢忙碌着，搬运工人在装卸货物，乘客们快乐地大声说笑。培西觉得，这景象美妙极了。他骄傲地说："到了，先生，多多岛精神！"

　　可是，画家摇了摇头："这里太忙了！我想这座小岛没什么好画的。"

　　培西非常生气，他的锅炉沸腾了，脸变得像詹姆士一样红。他说："多多岛每个地方都很特别，大人，孩子，还有小火车，我们都很特别。"说完，他喷出一大股蒸汽，把画家的帽子吹上了天。

　　"我要马上见到胖总管。"有名的画家说。

　　这会儿，胖总管正在家里喝下午茶，听到这个消息，他既吃惊又生气。

　　培西知道自己闯祸了，他担心地等待着。胖总管很快赶过来，脖子上的餐巾都还没有取下来。

　　画家说："我找到要画的东西了，非常完美，我要画培西！"

　　培西惊讶得瞪大了眼睛，"哎呀呀，我的缓冲器要爆了！"

　　"培西诚实又努力，不怕说出自己的意见，他确实代表了多多岛精神！"画家微笑着说。于是，有名的画家把培西画了下来。

到了第一次展出油画的那天晚上，所有的小火车都开来了。

　　市长哗的一下拉开幕布，培西看到了画中的自己，他又惊又喜，好开心哪！

托马斯说：“你是最适合这个工作的小火车了！”
培西笑了，能代表多多岛精神，这让他非常自豪。

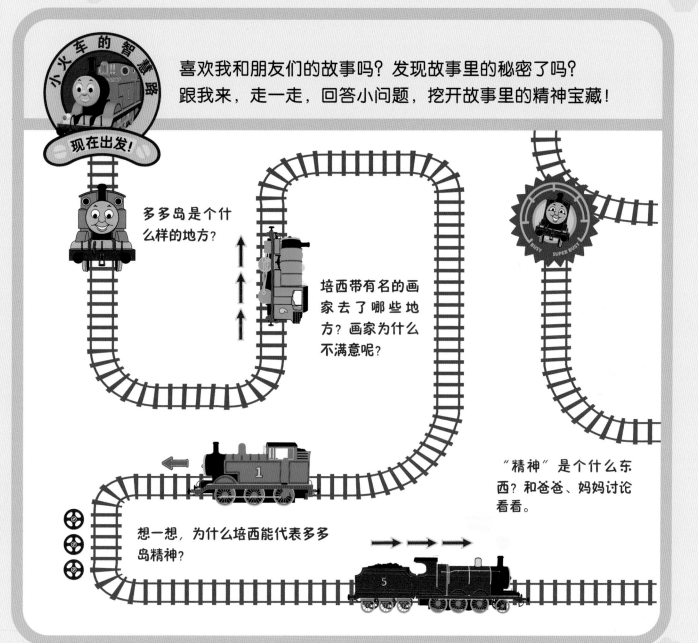

小火车的智慧器

现在出发!

喜欢我和朋友们的故事吗？发现故事里的秘密了吗？
跟我来，走一走，回答小问题，挖开故事里的精神宝藏！

多多岛是个什么样的地方？

培西带有名的画家去了哪些地方？画家为什么不满意呢？

想一想，为什么培西能代表多多岛精神？

"精神"是个什么东西？和爸爸、妈妈讨论看看。

多多岛精神

有名的画家认为诚实、努力、敢于说出自己的意见就是多多岛精神，小朋友，你觉得呢？多多岛的精神还应该有哪些？谁可以作为代表？

热心 —— 小火车代表：

友善 —— 小火车代表：

自信 —— 小火车代表：

礼貌 —— 小火车代表：

勇敢 —— 小火车代表：

热爱工作 - 小火车代表：

谦虚 —— 小火车代表：

热爱孩子 - 小火车代表：

守时 —— 小火车代表：

乐于分享 - 小火车代表：

寻找路线图

培西带画家去了多多岛的好多个地方，你还记得他们的路线吗？用箭头把这些地方连起来，画出一张正确的路线图，再说说看，他们在这些地方都看到了什么！

· 妈妈说 ·

　　什么是多多岛精神?三个人有三种说法。托马斯认为就是多多岛最特别的地方,而培西把它具体成了多多岛最美丽的风景,可是有名的画家要找的是一种性格、气质:诚实又努力,不怕说出自己的意见。读完这个故事,我的孩子大概明白了"精神"不是一个看得见摸得着的东西,而且他急切地说出了自己的意见:"多多岛精神还应该有'真正有用'。妈妈,要是我想搬到多多岛去住,是不是得诚实、努力又有用才行啊?"当然了,我的宝贝。

——诗羽妈妈

· 专家说 ·

　　面对名人,我们常常失去自信。面对画家,培西也感到迷茫:宁静的山谷不够美吗?阳光和海滩不够美吗?高架桥、风车和火车站,培西都觉得很美,为什么它们都不能代表"多多岛精神"呢?培西没想通,您想通了吗?

　　很美的风景,如果没有互动,很难让人感受到精神的存在。为什么培西能代表多多岛精神?不仅因为培西和画家有着很好的互动,还因为画家从培西身上看到了独特的品质:诚实又努力,不怕说出自己的意见!

　　"精神"这个哲学范畴的概念,也可以如此简单地渗入孩子的心灵。

——儿童心理教育专家 《父母必读》杂志主编 徐凡

托马斯和朋友动画故事乐园

托马斯的新货车

根据动画片《托马斯和朋友》改编

　　这一天，多多岛上非常忙碌。
　　小火车们喷着蒸汽，响着汽笛，跑来跑去地运送货物，他们个个都很努力！

　　这会儿，托马斯正在调车场转运他的货车。可是他的货车又老又旧，连挂钩都生了锈，拉起来别提多累人了。

　　正巧，詹姆士也来拉他的货车，他们看起来又干净又漂亮。詹姆士骄傲地说："胖总管给我配了聪明的新货车，看看，比你的要好一千倍哦！"

　　托马斯感到很委屈，他说："不公平！我也想要新货车！"

　　第二天早上，胖总管来了，他说："托马斯，我要给你一个惊喜！你的货车对你沉重的货物来说太旧了，我要给你一些新货车。"

　　"真的吗，先生？谢谢您！"托马斯太高兴了。

　　托马斯去调车场看他的新货车。哇！他们新得发光，漂亮极了。托马斯拉上他的新货车，骄傲地开走了。

　　托马斯开进码头，正好詹姆士也在那儿，他正向比尔和班炫耀他的新货车。

　　托马斯高兴地大声说："嘿，老兄，我也有新货车啦！"

　　比尔和班看着托马斯的新货车，兴奋地说："哇！他们看起来比詹姆士的还神气呢！"

　　詹姆士听了非常生气，他说："你的货车现在
可能又新又好，但是你绝对没法像我一样，一直保持干净！"
　　"我会的，我会的！"托马斯急切地说，"我会有全岛最干净
的货车。"

　　第二天，托马斯开进采石场。

　　詹姆士已经装好了货车，他得意地说："看，我身上一点儿石灰都没有，我是全岛最干净的小火车。"

　　"我也能做到！"托马斯很不服气。

于是，托马斯小心退到泻槽下面，让石灰落进货车里。可是调皮的货车们咯咯笑着晃动身子。石灰一下撒偏了，弄脏了新货车。

詹姆士笑着说："老兄，你的新货车看起来可没那么新喽！"

　　接下来，托马斯恼火地开到煤场，更加小心地退到泻煤槽下边。可是，货车们又咯咯地笑起来，淘气地往后退了又退，泻下来的煤全落在了托马斯的脑袋上，托马斯和他的货车比以前更脏了。

　　托马斯开到洗车场，詹姆士也在那里，他一看见满身黑乎乎的托马斯就大笑起来："我说什么来着？你绝对没法像我一样，一直保持干净！你看，我才有最干净的货车呢！"托马斯非常生气。

　　第二天早上，托马斯开进调车场。突然，他有了一个聪明的好主意："我要用我的旧货车送煤，这样我的新货车就会保持干净和崭新了。"

　　于是，托马斯拉上了他的旧货车。他去煤场装好煤，然后飞快地跑过田野乡间。

　　"我可以把这些货车弄得很脏，煤一定会准时送到码头的。"托马斯美滋滋地想。

　　突然，麻烦来了，生锈的车钩断了！"煤炭和灰烬！"托马斯大叫着使劲踩住车闸。可是刹车太急，货车撞上了托马斯，煤块稀里哗啦四处乱飞，堵住了铁轨，托马斯一动也不能动了。

不久，胖总管便带着哈维来清理轨道了。他严厉地对托马斯说："这些货车太旧，不能拉煤。你造成了混乱，耽误了工作。"

托马斯心里羞愧极了。

　　哈维和工人们很快就清理好了轨道。但是托马斯必须把煤送到码头去。所以他迅速开回调车场，拉上了他那些结结实实的新货车。

　　哈维和工人把煤装进新货车，新货车马上就变脏了。不过，货车们非常快活，轻松地爬上山，飞快地跑下山，一路唱着歌，一点儿也没有捣蛋。

　　不一会儿，托马斯就到达了码头。码头经理说："我们需要尽快把煤卸下来，不过别担心，我们会小心，让你保持干净。"
　　托马斯说："没关系，我更愿意有用，而不是干净。"

　　随后，詹姆士也开了进来，"哈！看看你的货车吧，脏得要命！不像我的，还是又干净又漂亮！"

　　当然干净，他的货车里什么也没拉嘛！

　　说完，詹姆士神气十足地要开走。可是，他的货车却捣起蛋来，咯咯笑着往后退。

　　这时候，爆脾气克兰奇正把一大箱甜瓜吊到岸上去。

　　突然，克兰奇的缆绳断了，甜瓜掉下来，正好砸中了詹姆士干干净净的脑门儿。

　　"讨厌！"詹姆士愤怒地大喊，"讨厌！"

　　这时，托马斯笑着说："我想，货车们喜欢有用，胜过喜欢干净！"所有的货车都赞同，因为对货车来说，最重要的不是干净，而是很有用！

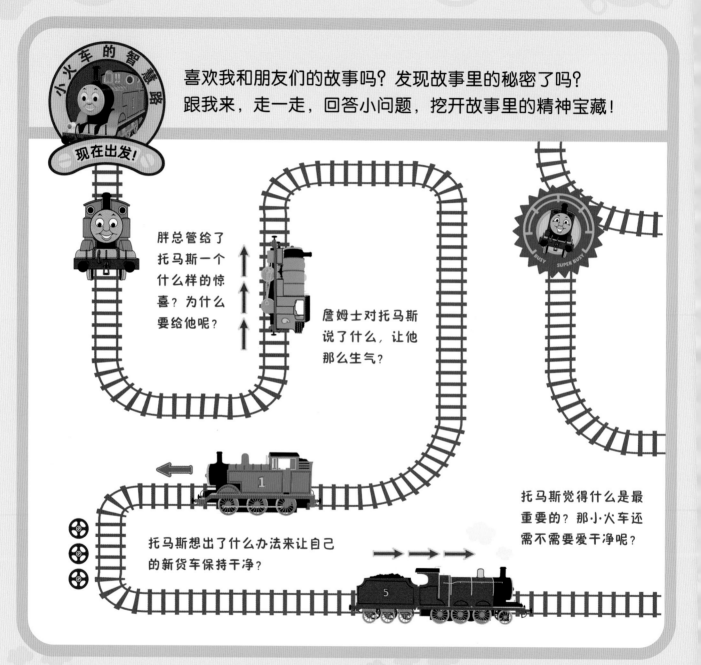

小火车的智慧器

现在出发!

喜欢我和朋友们的故事吗？发现故事里的秘密了吗？
跟我来，走一走，回答小问题，挖开故事里的精神宝藏！

胖总管给了托马斯一个什么样的惊喜？为什么要给他呢？

詹姆士对托马斯说了什么，让他那么生气？

托马斯想出了什么办法来让自己的新货车保持干净？

托马斯觉得什么是最重要的？那小火车还需不需要爱干净呢？

BUSY   SUPER BUSY

小朋友，我们平常要做很多事，下面这些小朋友都在做什么呢？想一想，这些事情应该先做哪一步，再做哪一步呢？按照先后顺序给每张图标上序号吧！

先做什么，再做什么？

小火车游戏屋 智能拓展

哎呀，这节车厢被淘气包画上了奇怪的图案，变得脏兮兮。小朋友，开动脑筋，想想办法，让车厢重新变得干净、漂亮吧！如果你没有想出办法，看看下面的文字，那里有妙招！

帮帮车厢，他爱干净！

你快拿起你的画笔，根据填有的图案的颜色去画图来装饰车厢，这样他就能既整洁又漂亮了。

智慧加油站

与大大的你、小小的你一起分享托马斯和朋友们的闪亮智慧！

· 妈妈说 ·

　　干净、漂亮似乎是大人们更关注的问题，当然，也有一些小公主会特别在意，但如果过分在意，游戏恐怕就不能尽兴，就像托马斯那样，工作都完不成。有用和干净并不对立，只是在主次和时间顺序上有所区别。我想，这个故事更多是写给爸爸、妈妈看的，不要在孩子们刚坐到地上或刚抓起沙土时就毫不迟疑地把他们抓起来，仅用一个"脏"字就断送了所有游戏的乐趣，我们需要维护的是尽情玩耍后的干净、整齐。

——天天妈妈

· 专家说 ·

　　新的东西大家都喜欢。是因为它漂亮？对！我们喜欢很漂亮的东西。所以我们会很爱惜东西，尽量保持它的新，保持它的漂亮！但是，有用是一个更重要的品质，新货车不是为漂亮而存在，是为有用而存在！

　　生活中，我们不会因为自己穿了新鞋子就不走路。我们不喜欢脏，但也绝不会因为怕脏就无所作为。那么养育过程中呢？玩沙玩土很脏，我们会让孩子玩吗？

　　会的，因为玩是孩子的"工作"，对孩子的成长有用！

——儿童心理教育专家 《父母必读》杂志主编 徐凡

小·火车 书架

小火车，呜呜！托马斯和他的朋友们从多多岛送来了这么多好看又好玩的小火车图书，你有几本了呢？快到书店里挑选你最喜欢的，带回家，给自己建一个小火车书架吧！

好看、好听、长智慧的故事类图书：

托马斯和朋友动画故事乐园（第一辑）
2009 年 1 月出版

托马斯和朋友动画故事乐园（第二辑）
2009 年 6 月出版

不一样的小火车（1~6）
2009 年 8 月出版

好看、好玩、长聪明的游戏类图书：

好做、好玩、长本领的手工类图书：

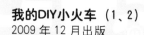

托马斯和朋友百宝游戏屋
2009 年 5 月出版

托马斯和朋友视觉游戏书
2009 年 12 月出版

我的DIY小火车（1、2）
2009 年 12 月出版